湯米
賽門
克利斯提安諾
史蒂夫
柏南多
雅拉
艾果
蜂蜜
瑪麗亞
羅索
盧卡斯
嗚嗚
亞馬洛警官
齊科
卡拉
巴布
荷西
依西多羅
薩爾加多
路易斯兔
亞爾畢諾先生
努諾
約翰
尼洛
大衛
桑多斯.蘇沙先生
依姬
?
路易
克拉拉
喬

Thinking003

# 誰都不准通過！

DAQUI NINGUÉM PASSA!

文 伊莎貝爾・米荷絲・馬汀斯 Isabel Minhós Martins
圖 柏南多・P・瓦洛 Bernardo P.Carvalho
譯 黃鴻硯

字畝文化創意有限公司
社　　長　馮季眉
編　　輯　戴鈺娟、陳心方、巫佳蓮
封面設計　三人制創

讀書共和國出版集團
社　　長　郭重興
發 行 人　曾大福
業務平臺總經理　李雪麗
業務平臺副總經理　李復民
實體書店暨直營網路書店組　林詩富、郭文弘、賴佩瑜、王文賓、周宥騰、范光杰
海外通路組　張鑫峰、林裴瑤
特 販 組　陳綺瑩、郭文龍
印 務 部　江域平、黃禮賢、李孟儒

排版／中原造像股份有限公司
出版／字畝文化創意有限公司
發行／遠足文化事業股份有限公司
地址：231新北市新店區民權路108-2號9樓
電話：02-22181417　傳真：02-86671065
客服信箱：service@bookrep.com.tw
網路書店：www.bookrep.com.tw
團體訂購請洽業務部(02)2218-1417分機1124

法律顧問／華洋法律事務所 蘇文生律師
印製／中原造像股份有限公司

2016年12月14日 初版一刷
2023年4月　初版六刷　定價：280元
ISBN 978-986-93693-7-4





《誰都不准通過！》
書籍簡介&導讀&推薦

# 誰都不准通過！

# DAQUI NINGUÉM PASSA!

伊莎貝爾·米荷絲·馬汀斯 作 柏南多·卡瓦洛 繪 黃鴻硯 譯
Isabel Minhós Martins Bernardo P. Carvalho

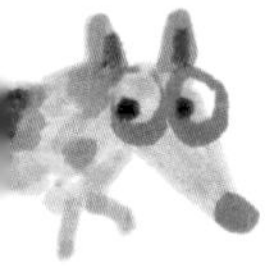

嗅，嗅……

停下來！
很抱歉，任何人都不許踏上右邊那頁。
為什麼呢？
會碰到天大的危險嗎？
有人要入侵這裡嗎？
有人在示威遊行嗎？
嗅嗅嗅……嗅嗅嗅嗅嗅嗅嗅……嗅嗅嗅嗅嗅……

不是那樣的。
我們的將軍有權讓書頁留白，
這樣一來，
他想在故事中登場時就能登場。
那樣太瘋狂了！
?
?

?
?
現在是什麼狀況？
現在的狀況是沒有人可以過去！
噢，老天啊……
?
可是我得去
打通電話。
?
放尊重一點，孩子！
別跟陌生人講話！
別跟陌生人講話！
別跟陌……
什麼？

!?
!
怎麼啦?
吼唷。
可是，
為什麼呢?
抱歉，我只是在遵守上級命令。
可是……
可是……
可是，
為什麼要遵守?
噢!
嗯?
可是……
衛兵先生，拜託你讓我們過去!
什麼!
……
唉唷喂呀!
……

!?
哇!
啊?
可是我得去開一個會……
不行，不行，都不行!
你給我聽好了……
我得去嚇人啊!
噢!
吼嗯!
嗡，嗡
……無法呼吸了……
!?
我得打電話!
2
3
7
4
嘿!
我們得逃亡!

哎唷!

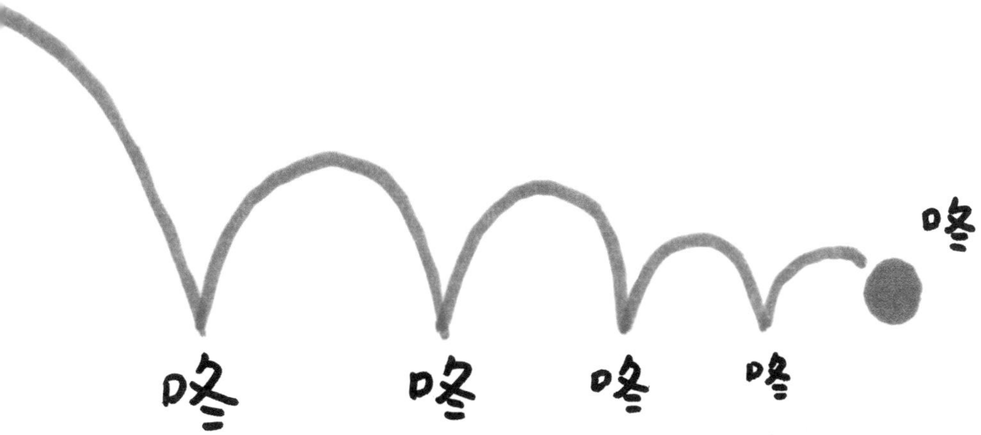
咚
咚
咚
咚
咚

衛兵先生，我們可不可以……

冰淇淋，冰淇淋！
快看！
……
哎唷！
嗡，嗡，嗡
？
太好了！
太好了！
好，你們去吧！我只破例這一次……
衛兵先生……
衛兵先生……
衛兵先生……
衛兵先生……
那我可以過去囉，衛兵先生？
衛兵先生……
好啊！
好耶！
衛兵先生……

呀呼!!
汪!

呵呵呵……
嚇。
!?
嗡,嗡,嗡……
好,你也可以過。
但別跟任何人說是我放你過去的……
總算啊!
噢……
真的?

踢得好！
汪！
總算啊！
耶!!
呵!
呵!
呼!
...

唉……
現在到底是什麼狀況啊？
我說任何人都不准通過！
…
!?
!

可是……
!
呼啊!
什麼?
又來了?
現在是……
噢—!
啥?
什麼?
噢!
嚇!
?
是怎樣……
唉……
天啊……
可是你不能……
!?
……
……

立刻逮捕他!
壞蛋
騙子!
什麼?
想都別想!
汪!
他是我們的英雄!
我?
爛人!

嗡，嗡！
可是，可是……
你瘋了！
接招！
這不是你一個人的故事
什麼？
嗚嗚!!
我的電話怎麼辦？
啥？
噢！
什麼？
!
不公平！
衛兵很酷！
哇，他瘋了……
臭豬！
壞人！
想都別想！
這本書是大家的！
那個衛兵是我們的英雄！
怎麼會這樣？
我們也是這故事的一分子啊……
流氓！

嘶嘶!!! 嘶嘶!!!
萬歲!
衛兵萬歲!

衛兵先生!
衛兵先生!
衛兵先生!
萬歲!
萬歲!
萬歲!
衛兵
萬歲!
萬歲!
唷呼!
萬歲!
萬歲!
萬歲!
萬歲!
呼呼!
萬歲!
棒了!
好耶!
萬歲!
萬歲!
萬歲!
汪!
衛兵萬歲，嗡。
吼～嗯!

這些人好幼稚!
看看這幾頁
變成什麼樣子了!
真是無法無天……

好，我受夠了。
我要離開這本書。
這是給小朋友看的書，
誰會想當主角啊，對不對？

馬可
席爾瓦
柯斯塔
拉斐爾
瑪德蓮娜
衛兵
吼嗯
拉提莎
維維
安娜.K
亨利
卡蘿
馬瑟里諾
桑提諾先生
依莎貝爾
巴博
傑克
維多
噴火箭
5
4
3
2
1
媽媽
阿爾卡札將軍
米羅
艾德蒙
克莉絲
山繆
派特
寶琳娜